U0344070
1580242674

中华人民共和国国家标准

电气装置安装工程
爆炸和火灾危险环境
电气装置施工及验收规范

Code for construction and acceptance of
electric equipment on fire and explosion hazard
electrical equipment installation engineering

GB 50257 - 2014

主编部门：中 国 电 力 企 业 联 合 会
批准部门：中华人民共和国住房和城乡建设部
施行日期：2 0 1 5 年 8 月 1 日

中国计划出版社

2014 北 京

中华人民共和国国家标准
电气装置安装工程
爆炸和火灾危险环境
电气装置施工及验收规范
GB 50257 - 2014
☆
中国计划出版社出版发行
网址：www. jhpress. com
地址：北京市西城区木樨地北里甲 11 号国宏大厦 C 座 3 层
邮政编码：100038　电话：(010) 63906433（发行部）
北京市科星印刷有限责任公司印刷

850mm×1168mm　1/32　2 印张　49 千字
2015 年 7 月第 1 版　2023 年 1 月第 5 次印刷
☆
统一书号：1580242・674
定价：12.00 元

中华人民共和国住房和城乡建设部公告

第 594 号

住房城乡建设部关于发布国家标准《电气装置安装工程　爆炸和火灾危险环境电气装置施工及验收规范》的公告

现批准《电气装置安装工程　爆炸和火灾危险环境电气装置施工及验收规范》为国家标准，编号为GB 50257—2014，自 2015 年 8 月 1 日起实施。其中，第 5.1.3、5.1.7、5.2.1、5.4.2(1)、7.1.1、7.2.2 条(款)为强制性条文，必须严格执行。原国家标准《电气装置安装工程　爆炸和火灾危险环境电气装置施工及验收规范》GB 50257－96 同时废止。

本规范由我部标准定额研究所组织中国计划出版社出版发行。

中华人民共和国住房和城乡建设部

2014 年 12 月 2 日

前　　言

本规范是根据住房城乡建设部《关于印发〈2009年工程建设标准规范制订、修订计划〉的通知》(建标〔2009〕88号)的要求，由中国电力企业联合会、国核工程有限公司会同有关单位在原国家标准《电气装置安装工程　爆炸和火灾危险环境电气装置施工及验收规范》GB 50257—96的基础上进行修订而成的。

本规范在修订过程中，编制组认真总结了原国家标准《电气装置安装工程　爆炸和火灾危险环境电气装置施工及验收规范》GB 50257—96执行以来，对电气装置安装工程爆炸和火灾危险环境电气装置施工及验收的新要求以及相关科研和现场实践经验，广泛征求了全国有关单位的意见，最后经审查定稿。

本规范共分8章和1个附录，主要技术内容包括：总则、术语、基本规定、防爆电气设备的安装、爆炸危险环境的电气线路、火灾危险环境的电气装置、接地、工程交接验收等。

与原规范相比较，本次修订增加了术语和基本规定两章，并对原规范中的部分章节的内容进行了调整和修改，删除了原规范中与目前技术发展不一致的条款。

本规范中以黑体字标志的条文为强制性条文，必须严格执行。

本规范由住房城乡建设部负责管理和对强制性条文的解释，由中国电力企业联合会负责日常管理，由国核工程有限公司负责具体技术内容的解释。本规范在执行过程中如有意见或建议，请寄送国核工程有限公司(地址：上海市闵行区田林路888弄2号楼，邮政编码：200233)，以供今后修订时参考。

本规范主编单位、参编单位、主要起草人和主要审查人：

主 编 单 位：中国电力企业联合会

国核工程有限公司

参 编 单 位:葛洲坝集团电力有限责任公司

山东送变电工程公司

天津电力建设公司

南阳防爆电器研究所

合隆防爆有限公司

主要起草人:孙克彬　邹颖男　田　晓　葛占雨　高鹏飞

李　聪　荆　津　王　庚　张　刚　谢绍建

主要审查人:徐　军　周永利　朱志强　王国民　王　敏

刘　军　白　永　刘玉杰　周　健　王　鉴

李道霖　何志江　覃建青

目　次

Contents

1 总 则

1.0.1 为保证爆炸和火灾危险环境的电气装置的施工安装质量，促进施工安装技术的进步，确保爆炸和火灾危险环境中设备的安全运行，保证国家和人民生命财产的安全，制定本规范。

1.0.2 本规范适用于在生产、加工、处理、转运或贮存过程中出现或可能出现气体、蒸气、粉尘、纤维爆炸性混合物和火灾危险物质环境的电气装置安装工程的施工及验收。

1.0.3 本规范不适用于下列环境的电气装置安装工程的施工及验收：

1 矿井井下；

2 制造、使用、贮存火药、炸药、起爆药、引信及火工品生产等的环境；

3 利用电能进行生产并与生产工艺过程直接关联的电解、电镀等电气装置区域；

4 使用强氧化剂以及不用外来点火源就能自行起火的物质的环境；

5 水、陆、空交通运输工具及海上和陆地油井平台；

6 核电厂的核岛；

7 以加味天然气作燃料进行采暖、空调、烹饪、洗衣以及类似的管线系统；

8 医疗室内；

9 灾难性事故。

1.0.4 爆炸和火灾危险环境的电气装置的施工及验收，除应符合本规范外，尚应符合国家现行有关标准的规定。

2 术 语

2.0.1 爆炸性环境 explosive atmosphere

在大气条件下，可燃性物质以气体、蒸气、粉尘、薄雾、纤维或飞絮的形式与空气形成的混合物，被点燃后，能够保持燃烧自行传播的环境。

2.0.2 爆炸性粉尘环境 explosive dust atmosphere

在大气条件下，可燃性物质以粉尘、纤维或飞絮的形式与空气形成的混合物，被点燃后，能够保持燃烧自行传播的环境。

2.0.3 爆炸性气体环境 explosive gas atmosphere

在大气条件下，可燃性物质以气体或蒸气的形式与空气形成的混合物，被点燃后，能够保持燃烧自行传播的环境。

2.0.4 危险区域 hazardous area

爆炸混合物出现或预期可能出现的数量达到足以要求对电气设备的结构、安装和使用采取预防措施的区域。

2.0.5 0区 zone 0

连续出现或长期出现爆炸性气体混合物的环境。

2.0.6 1区 zone 1

正常运行时可能出现爆炸性气体混合物的环境。

2.0.7 2区 zone 2

正常运行时不太可能出现爆炸性气体混合物的环境，或即使出现，也仅是短时存在的爆炸性气体混合物的环境。

2.0.8 20区 zone 20

空气中可燃性粉尘云持续地或长期地或频繁地出现于爆炸性环境的区域。

2.0.9 21区 zone 21

正常运行时,空气中的可燃性粉尘云很可能偶尔出现于爆炸性环境的区域。

2.0.10 22 区 zone 22

正常运行时,空气中的可燃性粉尘云一般不可能出现于爆炸性粉尘环境中的区域,即使出现,持续时间也是短暂的。

2.0.11 防爆型式 type of protection

为防止点燃周围爆炸性环境而对电气设备采取各种特定措施。

2.0.12 本质安全型“i” intrinsic safety “i”

一种防爆型式,将暴露于爆炸性气体环境中设备内部和互连导线内的电气能量限制到低于可能由火花或热效应引起点燃的程度。

2.0.13 本质安全电路 intrinsically-safe circuit

正常工作和规定的故障条件下,产生的任何电火花或任何热效应均不能点燃规定的爆炸性气体环境的电路。

2.0.14 本质安全电气设备 intrinsically-safe electrical apparatus

内部的所有电路都是本质安全电路的电气设备。

2.0.15 关联电气设备 associated electrical apparatus

装有本质安全电路和非本质安全电路,且结构使非本质安全电路不能对本质安全电路产生不利影响的电气设备。

2.0.16 正压外壳型“p” pressurization “p”

一种防爆型式,通过保持外壳内部或房间内保护气体的压力高于外部大气压力,以阻止外部爆炸性气体进入的型式。

2.0.17 油浸型“o” oil immersion “o”

一种防爆型式,将电气设备或电气设备部件浸在保护液中,使设备不能够点燃液面上或外壳外面的爆炸性气体。

2.0.18 “n”型电气设备 type of protection “n”

一种防爆型式,该防爆型式的电气设备,在正常运行时和本部分规定的一些异常条件下，不能点燃周围爆炸性气体。

2.0.19 隔爆外壳“d” flameproof enclosure “d”

电气设备的一种防爆型式，其外壳能够承受通过外壳任何接合面或结构间隙进入外壳内部的爆炸性混合物在内部爆炸而不损坏，并且不会引起外部由一种、多种气体或蒸气形成的爆炸性气体环境的点燃。

2.0.20 增安型“e” increased safety “e”

电气设备的一种防爆型式，即对电气设备采取一些附加措施，以提高其安全程度，防止在正常运行或规定的异常条件下产生危险温度、电弧和火花的可能性。

注：1 这种保护形式用“e”表示，附加的措施是那些符合本部分要求的措施。

2 增安型“e”的定义不包括在正常运行情况下产生火花或电弧的设备。

3 基本规定

3.0.1 爆炸和火灾危险环境的电气装置的安装,应按已批准的设计文件进行施工。

3.0.2 设备和器材的运输、保管,应符合产品技术文件的要求。

3.0.3 采用的设备和器材,应有合格证件。设备应有铭牌,防爆电气设备应有防爆标志。

3.0.4 设备和器材到达现场后,应进行验收检查,并应符合下列规定:

1 包装及密封应良好;

2 开箱检查清点,其型号、规格和防爆标志,应符合设计要求,附件、配件、备件应完好齐全;

3 产品的技术文件应齐全;

4 防爆电气设备的铭牌中,应标有国家检验单位颁发的“防爆合格证号”;

5 设备外观检查应无损伤、无腐蚀、无受潮。

3.0.5 施工安全技术措施,应符合本规范及产品的技术文件的要求。在扩建、改建工程中,应遵守生产厂安全生产(运行)规程中与施工有关的安全规定。对重要工序,应事先制订专项安全技术措施和施工作业指导书。

3.0.6 与爆炸和火灾危险环境电气装置安装工程有关的建筑工程施工,应符合下列规定:

1 建筑物、构筑物的工程质量,应符合现行国家标准《建筑工程施工质量验收统一标准》GB 50300 的有关规定。当设备或设计有特殊要求时,尚应符合其特殊要求。

2 设备安装前,建筑工程应具备下列条件:

1）基础、构架应符合设计要求，并验收合格；

2）室内地面基础应施工完毕，并在墙上标出地面标高；

3）预埋件、预留孔应符合设计要求，预埋的电气管路不得遗漏、堵塞，预埋件应牢固；

4）有可能损坏或严重污染电气装置的抹面及装饰工程应全部结束；

5）场地应清理干净；

6）门窗应安装完毕。

3 爆炸和火灾危险环境电气装置安装完毕，投入运行前，建筑安装工程应符合下列规定：

1）缺陷修补及装饰工程应结束；

2）二次灌浆和抹面工作应结束；

3）防爆通风系统和易爆物泄漏控制应符合设计要求并运行合格；

4）受电后无法进行的和影响运行安全的工程应施工完毕，并验收合格；

5）建筑照明应交付使用。

3.0.7 设备安装用的紧固件，除地脚螺栓外，铁制紧固件及支架应采用镀锌制品。

3.0.8 爆炸性气体环境、爆炸性粉尘环境和火灾危险环境的分区，应符合现行国家标准《爆炸危险环境电力装置设计规范》GB 50058和《建筑设计防火规范》GB 50016的有关规定。

3.0.9 防爆电气设备的类型、级别、组别、环境条件以及特殊标志等，应符合设计要求。

3.0.10 防爆电气设备应有“Ex”标志和标明防爆电气设备的类型、级别、组别标志的铭牌，并应在铭牌上标明防爆合格证号。

4 防爆电气设备的安装

4.1 一般规定

4.1.1 防爆电气设备的安装，应符合现行国家标准《爆炸性气体环境用电气设备 第15部分：危险场所电气安装（煤矿除外）》GB 3836.15和《可燃性粉尘环境用电器设备》GB 12476的有关规定。

4.1.2 防爆电气设备宜安装在金属制作的支架上，支架应牢固，有振动的电气设备的固定螺栓应有防松装置。

4.1.3 防爆电气设备接线盒内部接线紧固后，裸露带电部分之间及与金属外壳之间的电气间隙和爬电距离不应小于本规范附录A的规定。

4.1.4 防爆电气设备的进线口与电缆、导线引入连接后，应保持电缆引入装置的完整性和弹性密封圈的密封性，并应将压紧元件用工具拧紧，且进线口应保持密封。多余的进线口其弹性密封圈和金属垫片、封堵件等应齐全，且安装紧固，密封良好。

4.1.5 塑料透明件或其他部件，不得采用溶剂擦洗。

4.1.6 事故排风机的按钮，应单独安装在便于操作的位置，且应有醒目的特殊标志。

4.1.7 灯具的安装应符合下列规定：

1 灯具的种类、型号和功率，应符合设计和产品技术条件的要求，不得随意变更；

2 螺旋式灯泡应旋紧，接触应良好，不得松动；

3 灯具外罩应齐全，螺栓应紧固。

4.1.8 爆炸危险环境中电气设备的保护设置应符合设计要求。

4.2 隔爆型电气设备的安装

4.2.1 隔爆型电气设备在安装前，应进行下列检查：

1 设备的型号、规格应符合设计要求，铭牌及防爆标志应正确、清晰；

2 设备的外壳应无裂纹、损伤；

3 隔爆结构及间隙应符合要求；

4 接合面的紧固螺栓应齐全，弹簧垫圈等防松设施应齐全完好，弹簧垫圈应压平；

5 密封衬垫应齐全完好，应无老化变形，并应符合产品的技术要求；

6 透明件应光洁无损伤；

7 运动部件应无碰撞和摩擦；

8 接线板及绝缘件应无碎裂，接线盒盖应紧固，电气间隙及爬电距离应符合要求；

9 接地标志及接地螺钉应完好。

4.2.2 拆装隔爆型电气设备应符合下列规定：

1 保护隔爆面，不得损伤；

2 隔爆面上不应有砂眼、机械伤痕；

3 无电镀或磷化层的隔爆面，可使用非凝结性润滑脂或防锈油，不得刷漆；

4 组装时隔爆面上不得有锈蚀层；

5 隔爆接合面的紧固螺栓不得任意更换，弹簧垫圈应齐全；

6 螺纹隔爆结构，其螺纹的最少啮合扣数和最小啮合深度，应符合表 4.2.2 的规定。

表 4.2.2 螺纹隔爆结构螺纹的最少啮合扣数和最小啮合深度

外壳净容积 V (cm^3)	螺纹最小啮合深度 (mm)	螺纹最少啮合扣数	
		ⅡA、ⅡB	ⅡC
$V \leqslant 100$	5.0	6	试验安全扣数的2倍，但至少为6扣
$100 < V \leqslant 2000$	9.0		
$V > 2000$	12.5		

4.2.3 隔爆型电机的轴与轴孔、风扇与端罩之间应间隙均匀、无摩擦，正常工作状态下不应产生碰擦。

4.2.4 正常运行时产生火花或电弧的隔爆型电气设备，其电气联锁装置应可靠；当电源接通时壳盖不应打开，壳盖打开后电源不应接通。用螺栓紧固的外壳应检查“断电后开盖”警告牌，并应完好。

4.2.5 隔爆型插销的检查和安装，应符合下列规定：

1 插头插入时，接地或接零触头应先接通；插头拔出时，主触头应先分断；

2 插头应在开关处于分断位置时插入或拔脱，开关应在插头插入后再闭合；

3 防止骤然拔脱的徐动装置应完好可靠，不得松脱。

4.3 增安型和“n”型电气设备的安装

4.3.1 增安型和“n”型电气设备在安装前，应进行下列检查：

1 设备的型号、规格应符合设计要求，铭牌及防爆标志应正确、清晰；

2 设备的外壳和透光部分，应无裂纹、损伤，防护等级应符合要求；

3 设备的紧固螺栓应有防松措施，应无松动和锈蚀，接线盒盖应紧固；

4 保护装置及附件应齐全、完好。

4.4 正压外壳型“p”电气设备的安装

4.4.1 正压外壳型“p”电气设备在安装前，应进行下列检查：

1 设备的型号、规格应符合设计要求，铭牌及防爆标志应正确、清晰；

2 设备的外壳和透光部分，应无裂纹、损伤；

3 设备的紧固螺栓应有防松措施，应无松动和锈蚀，接线盒盖应紧固；

4 保护装置及附件应齐全、完好；

5 密封衬垫应齐全、完好，应无老化变形，并应符合产品技术条件的要求。

4.4.2 进入通风、充气系统及电气设备内的空气或气体应清洁，不得含有爆炸性混合物及其他有害物质。

4.4.3 通风过程排出的气体不宜排入爆炸危险环境，当排入爆炸性气体环境2区时，应采取防止火花和炽热颗粒从电气设备及其通风系统吹出的措施。

4.4.4 通风、充气系统的电气联锁装置，应按先通风后供电、先停电后停风的程序正常动作。在电气设备通电起动前，外壳内的保护气体的体积不得小于产品技术条件规定的最小换气体积与5倍的相连管道容积之和。

4.4.5 运行中电气设备及通风、充气系统内的风压、气压值，应符合设计文件要求。

4.4.6 运行中的正压外壳型"p"电气设备内部的火花、电弧，不应从缝隙或出风口吹出。

4.4.7 通风管道应密封良好。

4.5 油浸型"o"电气设备的安装

4.5.1 油浸型"o"电气设备在安装前，应进行下列检查：

1 设备的型号、规格应符合设计要求，铭牌及防爆标志应正确、清晰；

2 电气设备的外壳，应无裂纹、损伤；

3 电气设备的油箱、油标不得有裂纹及渗油、漏油缺陷。油面应在油标线范围内；

4 排油孔、排气孔应通畅，不得有杂物。

4.5.2 油浸型"o"电气设备的安装，应垂直，其倾斜度不应大于5°。

4.5.3 油浸型“o”型电气设备的油面最高温升，不应超过表4.5.3的规定。

表4.5.3 油浸型“o”电气设备油面最高温升

温度组别	油面最高温升(℃)	温度组别	油面最高温升(℃)
T1、T2、T3、T4、T5	60	T6	40

4.6 本质安全型“i”电气设备的安装

4.6.1 本质安全型“i”电气设备在安装前，应进行下列检查：

1 设备的型号、规格应符合设计要求，铭牌及防爆标志应正确、清晰；

2 外壳应无裂纹、损伤；

3 本质安全型“i”电气设备、关联电气设备产品铭牌的内容应有防爆标志、防爆合格证号及有关电气参数；本质安全型“i”电气设备与关联电气设备的组合，应符合现行国家标准《爆炸性环境 第18部分：本质安全系统》GB 3836.18的有关规定；

4 电气设备所有零件、元器件及线路，应连接可靠、性能良好。

4.6.2 关联电气设备中的电源变压器，应符合下列规定：

1 变压器的铁芯和绕组间的屏蔽，应有且只能有一点可靠接地；

2 直接与外部供电系统连接的电源变压器其熔断器的额定电流应符合设计要求。

4.6.3 独立供电的本质安全型“i”电气设备的电池型号、规格，应符合其电气设备铭牌中的规定，不得改用其他型号、规格的电池。

4.6.4 本质安全型“i”电气设备与关联电气设备之间的连接导线或电缆的型号、规格和长度，以及要求的参数，应符合设计要求。

4.7 粉尘防爆电气设备的安装

4.7.1 粉尘防爆电气设备在安装前，应进行下列检查：

1 设备的防爆标志、外壳防护等级和温度组别，应与爆炸性粉尘环境相适应；

2 设备的型号、规格应符合设计要求，铭牌及防爆标志应正确、清晰；

3 设备的外壳应光滑、无裂纹、无损伤、无凹坑或沟槽，并应有足够的强度；

4 设备的紧固螺栓，应无松动、无锈蚀；

5 设备的外壳接合面应紧固严密，密封垫圈应完好，转动轴与轴孔间的防尘密封应严密，透明件应无裂损。

4.7.2 设备安装应牢固，接线应正确，接触应良好，通风孔道不得堵塞，电气间隙和爬电距离应符合设备的技术要求。

4.7.3 设备安装时，不得损伤外壳和进线装置的完整及密封性能。

4.7.4 防爆电气设备的级别和组别不应低于该爆炸性气体环境内爆炸性气体混合物的级别和组别，并应符合设计文件要求。安装在爆炸粉尘环境中的电气设备应采取措施防止热表面点可燃性粉尘层引起的火灾危险。Ⅲ类电气设备的最高表面温度应按国家现行有关标准的规定进行选择。电气设备结构应满足电气设备在规定的运行条件下不降低防爆性能的要求。

4.7.5 粉尘防爆电气设备安装后，应按产品技术要求进行保护装置的调整和试操作。

5 爆炸危险环境的电气线路

5.1 一 般 规 定

5.1.1 电气线路的敷设方式、路径，应符合设计要求。当设计无明确要求时，应符合下列规定：

1 电气线路，应在爆炸危险性较小的环境或远离释放源的地方敷设。并应符合下列规定：

1) 当可燃物质比空气重时，电气线路宜在较高处敷设或直接埋地；架空敷设时宜采用电缆桥架；电缆沟敷设时沟内应充砂，并宜设置排水措施。

2) 电气线路宜在有爆炸危险的建筑物、构筑物的墙外敷设。

3) 在爆炸粉尘环境，电缆应沿粉尘不宜堆积并且易于粉尘清除的位置敷设。

4) 当电气线路沿输送可燃气体或易燃液体的管道栈桥敷设时，管道内的易燃物质比空气重时，电气线路应敷设在管道的上方；管道内的易燃物质比空气轻时，电气线路应敷设在管道的正下方的两侧。

2 敷设电气线路的沟道、电缆桥架或导管，所穿过的不同区域之间墙或楼板处的孔洞应采用非燃性材料严密堵塞。

3 在1区内电缆线路严禁有中间接头，在2区、20区、21区内不应有中间接头。

4 在架空、桥架敷设时电缆宜采用阻燃电缆。采用能防止机械损伤的桥架敷设时，塑料护套电缆可采用非铠装电缆。在不存在鼠、虫等损害的2区、22区电缆沟内敷设的电缆，可采用非铠装电缆。

5.1.2 敷设电气线路时宜避开可能受到机械损伤、振动、腐蚀以及可能受热的地方；当不能避开时，应采取预防措施。

5.1.3 **爆炸危险环境内采用的低压电缆和绝缘导线，其额定电压**

必须高于线路的工作电压，且不得低于500V，绝缘导线必须敷设于钢管内。电气工作中性线绝缘层的额定电压，必须与相线电压相同，并必须在同一护套或钢管内敷设。

5.1.4 电气线路使用的接线盒、分线盒、活接头、隔离密封件等连接件的选型，应符合现行国家标准《爆炸危险环境电力装置设计规范》GB 50058 的有关规定。

5.1.5 当电缆或导线的终端连接时，电缆内部的导线如果为绞线，其终端应采用定型端子或接线鼻子进行连接。铝芯绝缘导线或电缆的连接与封端应采用压接、熔接或钎焊，当与设备(照明灯具除外)连接时，应采用铜—铝过渡接头。

5.1.6 爆炸危险环境除本质安全电路外，采用的电缆或绝缘导线的型号规格及芯线最小截面应符合设计规定，爆炸性环境电缆配线的技术要求应符合表 5.1.6 的规定。

表 5.1.6 爆炸性环境电缆配线的技术要求

爆炸危险区域	电缆明设或在沟内敷设时铜芯的最小截面(mm^2)			移动电缆
	电力	照明	控制	
1区、20区、21区	2.5	2.5	1.0	重型
2区、22区	1.5	1.5	1.0	中型

5.1.7 架空线路严禁跨越爆炸性危险环境；架空线路与爆炸性危险环境的水平距离，不应小于杆塔高度的1.5倍。

5.2 爆炸危险环境内的电缆线路

5.2.1 电缆线路在爆炸危险环境内，必须在相应的防爆接线盒或分线盒内连接或分路。

5.2.2 电缆线路穿过不同危险区域或界面时，应采取下列隔离密封措施：

1 在两级区域交界处的电缆沟内，应采取充砂、填阻火堵料或加设防火隔墙；

2 电缆通过与相邻区域共用的隔墙、楼板、地面及易受机械损伤处，均应加以保护；留下的孔洞，应堵塞严密；

3　保护管两端的管口处，应将电缆周围用非燃性纤维堵塞严密，再填塞密封胶泥，密封胶泥填塞深度不得小于管子内径，且不得小于40mm。

5.2.3　防爆电气设备、接线盒的进线口，引入电缆后的密封应符合下列规定：

1　当电缆外护套穿过弹性密封圈或密封填料时，应被弹性密封圈挤紧或被密封填料封固。

2　外径大于或等于20mm的电缆，在隔离密封处组装防止电缆拔脱的组件时，应在电缆被拧紧或封固后，再拧紧固定电缆的螺栓。

3　电缆引入装置或设备进线口的密封，应符合下列规定：

1）装置内的弹性密封圈的一个孔，应密封一根电缆；

2）被密封的电缆断面，应近似圆形；

3）弹性密封圈及金属垫应与电缆的外径匹配，其密封圈内径与电缆外径允许差值为±1mm；

4）弹性密封圈压紧后，应将电缆沿圆周均匀挤紧。

4　有电缆头腔或密封盒的电气设备进线口，电缆引入后应浇灌固化的密封填料，填塞深度不应小于引入口径的1.5倍，且不得小于40mm。

5　电缆与电气设备连接时，应选用与电缆外径相适应的引入装置，当选用的电气设备的引入装置与电缆的外径不匹配时，应采用过渡接线方式，电缆与过渡线应在相应的防爆接线盒内连接。

5.2.4　电缆配线引入防爆电动机需挠性连接时，可采用挠性连接管，其与防爆电动机接线盒之间，应按防爆要求加以配合，不同的使用环境条件应采用不同材质的挠性连接管。

5.2.5　电缆采用金属密封环引入时，贯通引入装置的电缆表面应清洁干燥；涂有防腐层时，应清除干净后再敷设。

5.2.6　在室外和易进水的地方，与设备引入装置相连接的电缆保护管的管口，应严密封堵。

5.3　爆炸危险环境内的钢管配线

5.3.1　配线钢管应采用低压流体输送用镀锌焊接钢管。

5.3.2 钢管与钢管、钢管与电气设备、钢管与钢管附件之间的连接，应采用螺纹连接，不得采用套管焊接，并应符合下列规定：

1 螺纹加工应光滑、完整、无锈蚀，钢管与钢管、钢管与电气设备、钢管与钢管附件之间应采用跨线连接，并应保证良好的电气通路，不得在螺纹上缠麻或绝缘胶带及涂其他油漆。

2 在爆炸性气体环境 1 区或 2 区与隔爆型设备连接时，螺纹连接处应有锁紧螺母。

3 外露丝扣不应过长。

4 除本质安全电路外，电压为 1000V 及以下的钢管配线的技术要求应符合表 5.3.2 的规定。

表 5.3.2 爆炸性环境内电压为 1000V 及以下的钢管配线技术要求

爆炸危险区域	钢管配线用绝缘导线铜芯的最小截面(mm^2)			管子连接要求
	电力	照明	控制	
1 区、20 区、21 区	2.5	2.5	2.5	钢管螺纹旋合不应少于 5 扣
2 区、22 区	2.5	1.5	1.5	钢管螺纹旋合不应少于 5 扣

5.3.3 电气管路之间不得采用倒扣连接；当连接有困难时，应采用防爆活接头，其接合面应密贴。

5.3.4 在爆炸性环境 1 区、2 区、20 区、21 区和 22 区的钢管配线，应做好隔离密封，并应符合下列规定：

1 电气设备无密封装置的进线口应装设隔离密封件。

2 在正常运行时，所有点燃源外壳的 450mm 范围内应做隔离密封。

3 管路通过与其他任何场所相邻的隔墙时，应在隔墙的任一侧装设横向式隔离密封件。

4 管路通过楼板或地面引入其他场所时，均应在楼板或地面的上方装设纵向式密封件。

5 管径为 50mm 及以上的管路在距引入的接线箱 450mm 以内及每距 15m 处应装设隔离密封件。

6 相邻的爆炸性环境之间以及爆炸性环境与相邻的其他危

险环境或非危险环境之间应进行隔离密封。进行密封时，密封内部应用纤维作填充层的底层或隔层，填充层的有效厚度不应小于钢管的内径，且不得小于16mm。

7 易积结冷凝水的管路，应在其垂直段的下方装设排水式隔离密封件，排水口应置于下方。

8 供隔离密封用的连接部件，不应作为导线或分线用。

5.3.5 隔离密封的制作应符合下列规定：

1 隔离密封件的内壁，应无锈蚀、灰尘、油渍。

2 导线在密封件内不得有接头，且导线之间及与密封件壁之间的距离应均匀。

3 管路通过墙、楼板或地面时，密封件与墙面、楼板或地面的距离不应超过300mm，且此段管路中不得有接头，并应将孔洞堵塞严密。

4 密封件内应填充水凝性粉剂密封填料。

5 粉剂密封填料的包装应密封。密封填料的配制应符合产品的技术规定，浇灌时间不得超过其初凝时间，并应一次灌足。凝固后其表面应无龟裂。排水式隔离密封件填充后的表面应光滑，并可自行排水。

5.3.6 钢管配线应在下列各处装设防爆挠性连接管：

1 电机的进线口处；

2 钢管与电气设备直接连接有困难处；

3 管路通过建筑物的伸缩缝、沉降缝处。

5.3.7 防爆挠性连接管应无裂纹、孔洞、机械损伤、变形等缺陷，其安装时应符合下列规定：

1 在不同的使用环境下，应采用相应材质的挠性连接管；

2 弯曲半径不应小于管外径的5倍。

5.3.8 电气设备、接线盒和端子箱上多余的孔，应采用丝堵堵塞严密。当孔内垫有弹性密封圈时，弹性密封圈的外侧应设钢质封堵件，钢质封堵件应经压盘或螺母压紧。

5.3.9 钢管配线可采用无护套的绝缘单芯或多芯导线。当钢管中含有三根或多根导线时，导线包括绝缘层的总截面不宜超过钢管截面的40%。钢管应采用低压流体输送用镀锌焊接钢管。钢管连接点的螺纹部分应涂以铅油或磷化膏。在可能凝结冷凝水的地方，管线上应装设排除冷凝水的密封接头。

5.4 本质安全型"i"电气设备及其关联电气设备的线路

5.4.1 本质安全型"i"电气设备配线工程中的导线、钢管、电缆的型号、规格，以及配线方式、线路走向和标高、与其关联电气设备的连接线等，除应按设计要求施工外，尚应符合产品技术文件有关要求。

5.4.2 本质安全电路关联电路的施工，应符合下列规定：

1 本质安全电路与非本质安全电路不得共用同一电缆或钢管；本质安全电路或关联电路，严禁与其他电路共用同一条电缆或钢管。

2 两个及以上的本质安全电路，除电缆线芯分别屏蔽或采用屏蔽导线者外，不应共用同一条电缆或钢管。

3 配电盘内本质安全电路与关联电路或其他电路的端子之间的间距，不应小于50mm；当间距不满足要求时，应采用高于端子的绝缘隔板或接地的金属隔板隔离；本质安全电路、关联电路的端子排应采用绝缘的防护罩；本质安全电路、关联电路、其他电路的盘内配线，应分开束扎、固定。

4 所有需要隔离密封的地方，应按规定进行隔离密封。

5 本质安全电路的配线应用蓝色导线，接线端子排应带有蓝色的标志。

6 本质安全电路本身除设计有特殊规定外，不应接地。电缆屏蔽层，应在非爆炸危险环境进行一点接地。

7 本质安全电路与其关联电路采用非铠装和无屏蔽层的电缆时，应采用镀锌钢管加以保护。

5.4.3 在非爆炸危险环境中与爆炸危险环境有直接连接的本质安全电路及其关联电路的施工，应符合本规范第5.4.2条第2款～第7款的规定。

6 火灾危险环境的电气装置

6.1 一般规定

6.1.1 根据火灾事故发生的可能性、后果以及危险程度，火灾危险环境包括以下环境：

1 具有闪点高于环境温度的可燃液体，在数量和配置上能引起火灾危险的环境。

2 具有悬浮状、堆积状的可燃粉尘或可燃纤维，虽不可能形成爆炸混合物，但在数量和配置上能引起火灾危险的环境。

3 具有固体状可燃物质，在数量和配置上能引起火灾危险的环境。

6.2 电气设备的安装

6.2.1 火灾危险环境所采用的电气设备类型，应符合设计的要求。

6.2.2 装有电气设备的箱、盒等，应采用金属制品；电气开关和正常运行时产生火花或外壳表面温度较高的电气设备，应远离可燃物质的存放地点，其最小距离不应小于3m。

6.2.3 在火灾危险环境内不宜使用电热器。当生产要求应使用电热器时，应将其安装在非燃材料的底板上，并应装设防护罩。

6.2.4 移动式和携带式照明灯具的玻璃罩，应采用金属网保护。

6.2.5 露天安装的变压器或配电装置的外廓距火灾危险环境建筑物的外墙，不宜小于10m。当小于10m时，应符合下列规定：

1 火灾危险环境建筑物靠变压器或配电装置一侧的墙，应为非燃烧性；

2 在高出变压器或配电装置高度3m的水平线以上或距变

压器或配电装置外廓3m以外的墙壁上，可安装非燃烧的镶有铁丝玻璃的固定窗。

6.3 电气线路

6.3.1 在火灾危险环境内的电力、照明线路的绝缘导线和电缆的额定电压，不应低于线路的额定电压，且不得低于500V。

6.3.2 1kV及以下的电气线路，可采用非铠装电缆或钢管配线；在火灾危险环境具有闪点高于环境温度的可燃液体，在数量和配置上能引起火灾危险的环境，或具有固体状可燃物质，在数量和配置上能引起火灾危险的环境内，可采用硬塑料管配线；在火灾危险环境具有固体状可燃物质，在数量和配置上能引起火灾危险的环境内，远离可燃物质时，可采用绝缘导线在针式或鼓型瓷绝缘子上敷设。沿未抹灰的木质吊顶和木质墙壁等处及木质闷顶内的电气线路，应穿钢管明敷，不得采用瓷夹、瓷瓶配线。

6.3.3 在火灾危险环境内，当采用铝芯绝缘导线和电缆时，应有可靠的连接和封端。

6.3.4 在火灾危险环境具有闪点高于环境温度的可燃液体，在数量和配置上能引起火灾危险的环境或具有悬浮状、堆积状的可燃粉尘或可燃纤维，虽不可能形成爆炸混合物，但在数量和配置上能引起火灾危险的环境内，电动起重机不应采用滑触线供电；在火灾危险环境具有固体状可燃物质，在数量和配置上能引起火灾危险的环境内，电动起重机可采用滑触线供电，但在滑触线下方，不应堆置可燃物质。

6.3.5 移动式和携带式电气设备的线路，应采用移动电缆或橡套软线。

6.3.6 在火灾危险环境内安装裸铜、裸铝母线时，应符合下列规定：

1 不需拆卸检修的母线连接宜采用熔焊；

2 螺栓连接应可靠，并应有防松装置；

3 在火灾危险环境具有闪点高于环境温度的可燃液体，在数量和配置上能引起火灾危险的环境和具有固体状可燃物质，在数量和配置上能引起火灾危险的环境内的母线宜装设金属网保护罩，其网孔直径不应大于12mm；在火灾危险环境22区内的母线应有IP5X型结构的外罩，并应符合现行国家标准《外壳防护等级(IP代码)》GB 4208的有关规定。

6.3.7 电缆引入电气设备或接线盒内，其进线口处应密封。

6.3.8 钢管与电气设备或接线盒的连接，应符合下列规定：

1 螺纹连接的进线口应啮合紧密；非螺纹连接的进线口，钢管引入后应装设锁紧螺母；

2 与电动机及有振动的电气设备连接时，应装设金属挠性连接管。

6.3.9 10kV及以下架空线路，不应跨越火灾危险环境；架空线路与火灾危险环境的水平距离，不应小于杆塔高度的1.5倍。

7 接　　地

7.1 保护接地

7.1.1 在爆炸危险环境的电气设备的金属外壳、金属构架、安装在已接地的金属结构上的设备、金属配线管及其配件、电缆保护管、电缆的金属护套等非带电的裸露金属部分，均应接地。

7.1.2 在爆炸性环境1区、20区、21区内所有的电气设备，以及爆炸性环境2区、22区内除照明灯具以外的其他电气设备，应增加专用的接地线；该专用接地线若与相线敷设在同一保护管内时，应具有与相线相同的绝缘水平。

7.1.3 在爆炸性环境2区、22区的照明灯具及爆炸性环境21区、22区内的所有电气设备，可利用有可靠电气连接的金属管线系统作为接地线，但不得利用输送爆炸危险物质的管道。

7.1.4 在爆炸危险环境中接地干线宜在不同方向与接地体相连，连接处不得少于两处。

7.1.5 爆炸危险环境中的接地干线通过与其他环境共用的隔墙或楼板时，应采用钢管保护，并应按本规范第5.2.2条的规定作好隔离密封。

7.1.6 电气设备及灯具的专用接地线，应单独与接地干线（网）相连，电气线路中的工作零线不得作为保护接地线用。

7.1.7 爆炸危险环境内的电气设备与接地线的连接，宜采用多股软绞线，其铜线最小截面积不得小于$4mm^2$，易受机械损伤的部位应装设保护管。

7.1.8 铠装电缆引入电气设备时，其接地线应与设备内接地螺栓连接；钢带及金属外壳应与设备外的接地螺栓连接。

7.1.9 爆炸危险环境内接地或接零用的螺栓应有防松装置；接地

线紧固前，其接地端子及紧固件，均应涂电力复合脂。

7.1.10 火灾危险环境电缆夹层中的每一层电缆桥架明显接地点不应少于两处。

7.2 防静电接地

7.2.1 生产、贮存和装卸液化石油气、可燃气体、易燃液体的设备、贮罐、管道、机组和利用空气干燥、掺和、输送易产生静电的粉状、粒状的可燃固体物料的设备、管道，以及可燃粉尘的袋式集尘设备，其防静电接地的安装，除应符合国家现行有关防静电接地标准的规定外，尚应符合下列规定：

1 设备的接地装置与防止直接雷击的独立避雷针的接地装置应分开设置，与装设在建筑物上防止直接雷击的避雷针的接地装置可合并设置；防静电的接地装置、防感应雷和电气设备的接地装置可共同设置，其接地电阻值应符合防感应雷接地和电气设备接地的规定；只作防静电的接地装置，每一处接地体的接地电阻值应符合设计规定。

2 设备、机组、贮罐、管道等的防静电接地线，应单独与接地体或接地干线相连，除并列管道外不得互相串联接地。

3 防静电接地线的安装，应与设备、机组、贮罐等固定接地端子或螺栓连接，连接螺栓不应小于M10，并应有防松装置和涂以电力复合脂。当采用焊接端子连接时，不得降低和损伤管道强度。

4 当金属法兰采用金属螺栓或卡子相紧固时，可不另装跨接线。在腐蚀环境安装前，应有两个及以上螺栓和卡子之间的接触面去锈和除油污，并应加装防松螺母。

5 当爆炸危险区内的非金属构架上平行安装的金属管道相互之间的净距离小于100mm时，宜每隔20m用金属线跨接；金属管道相互交叉的净距离小于100mm时，应采用金属线跨接。

6 容量为$50m^3$及以上的贮罐，其接地点不应少于两处，且接地点的间距不应大于30m，并应在罐体底部周围对称与接地体连接，接地体应连接成环形的闭合回路。

7 易燃或可燃液体的浮动式贮罐，在无防雷接地时，其罐顶与罐体之间应采用铜软线作不少于两处跨接，其截面不应小于25mm^2，且其浮动式电气测量装置的电缆，应在引入贮罐处将铠装、金属外壳可靠地与罐体连接。

8 钢筋混凝土的贮罐或贮槽，沿其内壁敷设的防静电接地导体，应与引入的金属管道及电缆的铠装、金属外壳连接，并应引至罐、槽的外壁与接地体连接。

9 非金属的管道（非导电的）、设备等，其外壁上缠绕的金属丝网、金属带等，应紧贴其表面均匀地缠绕，并应可靠地接地。

10 可燃粉尘的袋式集尘设备，织入袋体的金属丝的接地端子应接地。

11 皮带传动的机组及其皮带的防静电接地刷、防护罩，均应接地。

7.2.2 引入爆炸危险环境的金属管道、配线的钢管、电缆的铠装及金属外壳，必须在危险区域的进口处接地。

8 工程交接验收

8.0.1 防爆电气设备在试运行中，尚应符合下列规定：

1 防爆电气设备外壳的温度不得超过规定值。

2 正压外壳型“p”电气设备的出风口，应无火花吹出。当降低风压、气压时，微压继电器应可靠动作。

3 防爆电气设备的保护装置及联锁装置，应动作正确、可靠。

8.0.2 工程竣工验收时，尚应进行下列检查：

1 防爆电气设备的铭牌中，应标明防爆合格证号。防爆合格证编号后带“U”或带“X”标记的设备应符合产品技术文件的要求。

2 防爆电气设备的类型、级别、组别，应符合设计要求，并应与危险区域的级别相适应。

3 防爆电气设备的外壳，应无裂纹、损伤，油漆应完好。接线盒盖应紧固，且固定螺栓及防松装置应齐全。

4 防爆油浸型“o”电气设备不得有渗油、漏油，其油面高度应符合要求。

5 正压外壳型“p”电气设备的通风、排气系统应通畅，连接应正确，进口、出口安装位置应符合要求。

6 电气设备多余的进线口应按规定做好密封。

7 电气线路中密封装置的安装应符合规定。

8 本质安全型“i”电气设备的配线工程，其线路走向、高程应符合设计要求。

9 电气装置的接地、防静电接线，应符合设计要求，接地应牢固、可靠。

8.0.3 在验收时，应提交下列文件和资料：

1 设计变更文件；

2 制造厂提供的产品使用说明书、试验记录、合格证件及安装图纸等技术文件；

3 有关设备的安装调试记录；

4 正压外壳型“p”电气设备的风压、气压等继电保护装置的调整记录、电气设备试运时外壳的最高温度记录和防静电接地的接地电阻值的测试记录等。

附录A 防爆电气设备裸露带电部分之间及与金属外壳之间的电气间隙和爬电距离

A.0.1 增安型电气设备不同电位的导电部件之间的最小电气间隙和爬电距离，应符合表A.0.1的规定。

表A.0.1 增安型电气设备不同电位的导电部件之间的最小电气间隙和爬电距离

电压 交流有效值或直流(V)	最小电气间隙 (mm)	最小爬电距离(mm)		
		材料级别		
		Ⅰ	Ⅱ	Ⅲa
10	1.6	1.6	1.6	1.6
12.5	1.6	1.6	1.6	1.6
20	1.6	1.6	1.6	1.6
25	1.7	1.7	1.7	1.7
32	1.8	1.8	1.8	1.8
40	1.9	1.9	2.4	3.0
50	2.1	2.1	2.6	3.4
63	2.1	2.1	2.6	3.4
80	2.2	2.2	2.8	3.6
100	2.4	2.4	3.0	3.8
125	2.5	2.5	3.2	4.0
160	3.2	3.2	4.0	5.0
200	4.0	4.0	5.0	6.3
250	5.0	5.0	6.3	8.0
320	6.0	6.3	8.0	10.0
400	6.0	8.0	10.0	12.5
500	8.0	10.0	12.5	16
630	10	12	16	20
800	12	16	20	25
1000	14	20	25	32
1250	18	22	26	32

续表 A.0.1

电压 交流有效值或直流(V)	最小电气间隙 (mm)	最小爬电距离(mm)		
		材料级别		
		Ⅰ	Ⅱ	Ⅲa
1600	20	23	27	32
2000	23	25	28	32
2500	29	32	36	40
3200	36	40	45	50
4000	44	50	56	63
5000	50	63	71	80
6300	60	80	90	100
8000	80	100	110	125
10000	100	125	140	160

注:1 在确定爬电距离和电气间隙要求的值时,为了认可常用额定电压范围,表中的电压值可增加至表列数值的1.1倍;

2 对于电压大于63V且小于或等于250V的螺口灯头,Ⅰ级绝缘材料最小爬电距离和电气间隙可为3mm;

3 表中的Ⅰ、Ⅱ、Ⅲa为绝缘材料相比漏电起痕指数分级,应符合现行国家标准《爆炸性环境　第1部分:设备 通用要求》GB 3836.1的有关规定。

A.0.2 "n"型电气设备不同电位的导电部件之间的最小爬电距离、最小电气间隙和间隔,应符合表A.0.2的规定。

表 A.0.2 "n"型电气设备不同电位的导电部件之间的最小爬电距离、最小电气间隙和间隔

电压 交流有效值或直流(V)	最小爬电距离(mm)				最小电气间隙和间隔(mm)		
	材料级别				在空气中	涂覆之下	浇封绝缘或固体绝缘
	Ⅰ	Ⅱ	Ⅲa	Ⅲb			
≤10	1	1	1	1	0.4	0.3	0.2
≤12.5	1.05	1.05	1.05	1.05	0.4	0.3	0.2
≤16	1.1	1.1	1.1	1.1	0.8	0.3	0.2
≤20	1.2	1.2	1.2	1.2	0.8	0.3	0.2
≤25	1.25	1.25	1.25	1.25	0.8	0.3	0.2
≤32	1.3	1.3	1.3	1.3	0.8	0.3	0.2
≤40	1.4	1.6	1.8	1.8	0.8	0.6	0.3

续表 A.0.2

电压交流有效值或直流（V）	最小爬电距离(mm)				最小电气间隙和间隔(mm)		
	材料级别				在空气中	涂覆之下	浇封绝缘或固体绝缘
	Ⅰ	Ⅱ	Ⅲa	Ⅲb			
≤50	1.5	1.7	1.9	1.9	0.8	0.6	0.3
≤63	1.6	1.8	2	2	0.8	0.6	0.3
≤80	1.7	1.9	2.1	2.1	0.8	0.8	0.6
≤100	1.8	2	2.2	2.2	0.8	0.8	0.6
≤125	1.9	2.1	2.4	2.4	1	0.8	0.6
≤160	2	2.2	2.5	2.5	1.5	1.1	0.6
≤200	2.5	2.8	3.2	3.2	2	1.7	0.6
≤250	3.2	3.6	4	4	2.5	1.7	0.6
≤320	4	4.5	5	5	3	2.4	0.8
≤400	5	6.5	6.3	6.3	4	2.4	0.8
≤500	6.3	7.1	8	8	5	2.4	0.8
≤630	8	9	10	10	5.5	2.9	0.9
≤800	10	11	12.5	—	7	4	1.1
≤1000	11		13	—	8	5.8	1.7
≤1250	12		15	—	10	—	—
≤1600	13		17	—	12	—	—
≤2000	14		20	—	14	—	
≤2500	18		25	—	18	—	—
≤3200	22		32	—	22	—	—
≤4000	28		40	—	28	—	—
≤5000	36		50	—	36	—	—
≤6300	45		63	—	45	—	—
≤8000	56		80	—	56	—	—
≤10000	71		100	—	70	—	—
≤11000	78		110		75		—
≤13800	98		138		97	—	—
≤15000	107		150		105	—	

注:1 对于1000V及以下的工作电压，实际工作电压可超过表中规定数值的10%；

2 爬电距离的数值源自现行国家标准《低压系统内设备的绝缘配合 第1部分:原理、要求和试验》GB/T 16935.1。800V及以下的爬电距离以3级污染为基础，2000V和1000V之间的值以2级污染为基础，其他数据用内插法或外推法得出。

A.0.3 本质安全电路与非本质安全电路裸露导体之间的电气间隙和爬电距离，不得小于表A.0.3的规定值。

表A.0.3 本质安全电路与非本质安全电路裸露导体之间的电气间隙和爬电距离

电压峰值（V）	电气间隙（mm）		通过胶封化合物的间距（mm）		通过固体绝缘的间距（mm）		爬电距离（mm）		绝缘涂层下的爬电距离（mm）	
保护等级	i_a，i_b	i_c	i_a，i_b	i_c	i_a，i_b	i_c	i_a，i_b	i_c	i_a，i_b	i_c
10	1.5	0.4	0.5	0.2	0.5	0.2	1.5	1.0	0.5	0.3
30	2.0	0.8	0.7	0.2	0.5	0.2	2.0	1.3	0.7	0.3
60	3.0	0.8	1.0	0.3	0.5	0.3	3.0	1.9	1.0	0.6
90	4.0	0.8	1.3	0.3	0.7	0.3	4.0	2.1	1.3	0.6
190	5.0	1.5	1.7	0.6	0.8	0.6	8.0	2.5	2.6	1.1
375	6.0	2.5	2.0	0.6	1.0	0.6	10.0	4.0	3.3	1.7
550	7.0	4.0	2.4	0.8	1.2	0.8	15.0	6.3	5.0	2.4
750	8.0	5.0	2.7	0.9	1.4	0.9	18.0	10.0	6.0	2.9
1000	10.0	7.0	3.3	1.1	1.7	1.1	25.0	12.5	8.3	4.0
1300	14.0	8.0	4.6	1.7	2.3	1.7	36.0	13.0	12.0	5.8
1575	16.0	10.0	5.3	★	2.7	★	49.0	15.0	16.3	★
3300	★	18.0	9.0	★	4.5	★	★	32.0	★	★
4700	★	22.0	12.0	★	6.0	★	★	50.0	★	★
9500	★	45.0	20.0	★	10.0	★	★	100.0	★	★
15600	★	70.0	33.0	★	16.5	★	★	150.0	★	★

注：1 表中数值源自现行国家标准《爆炸性环境 第1部分：设备 通用要求》GB 3836.4；

2 表中★表示目前没有提出所有电压的规定值。

本规范用词说明

1 为便于在执行本规范条文时区别对待，对要求严格程度不同的用词说明如下：

1）表示很严格，非这样做不可的：

正面词采用“必须”，反面词采用“严禁”；

2）表示严格，在正常情况下均应这样做的：

正面词采用“应”，反面词采用“不应”或“不得”；

3）表示允许稍有选择，在条件许可时首先应这样做的：

正面词采用“宜”，反面词采用“不宜”；

4）表示有选择，在一定条件下可以这样做的，采用“可”。

2 条文中指明应按其他有关标准执行的写法为：“应符合……的规定”或“应按……执行”。

引用标准名录

《爆炸危险环境电力装置设计规范》GB 50058

《建筑工程施工质量验收统一标准》GB 50300

《爆炸性环境　第1部分:设备　通用要求》GB 3836.1

《爆炸性环境　第2部分:由隔爆外壳“d”保护的设备》GB 3836.2

《爆炸性气体环境用电气设备　第15部分:危险场所电气安装(煤矿除外)》GB 3836.15

《爆炸性环境　第18部分:本质安全系统》GB 3836.18

《外壳防护等级(IP代码)》GB 4208

《可燃性粉尘环境用电气设备》GB 12476

中华人民共和国国家标准

电气装置安装工程
爆炸和火灾危险环境
电气装置施工及验收规范

GB 50257 - 2014

条 文 说 明

修 订 说 明

本规范是根据住房城乡建设部《关于印发〈2009年工程建设标准规范制订、修订计划〉的通知》（建标〔2009〕88号）安排，由中国电力企业联合会负责，中国电力科学研究院和国核工程有限公司组织有关单位在《电气装置安装工程　爆炸和火灾危险环境电气装置施工及验收规范》GB 50257—96的基础上修订的。

本规范上一版的主编单位是电力工业部电力建设研究院（现中国电力科学研究院），参编单位是化工部施工技术研究所、南阳防爆电气研究所等，主要起草人是曾等厚、胡仁、张煦、马长瀛。

为了方便广大电力、石油、化工等行业有关人员在使用本规范时能正确理解和执行条文规定，《电气装置安装工程　爆炸和火灾危险环境电气装置施工及验收规范》编制组按章、节、条顺序编制了本规范的条文说明，对条文规定的目的、依据以及执行中需注意的有关事项进行了说明，还着重对强制性条文的强制性理由作了解释。但是，本条文说明不具备与规范正文同等的法律效力，仅供使用者作为理解和把握规范规定的参考。

目　　次

1 总　　则

1.0.3 本规范不适用的环境，是指不是由电气装置安装工程质量而引起，而是由于其他原因构成危险的环境。对于这些危险环境的电气装置的施工及验收，应按其各专用规程执行。

2 术　　语

2.0.5～2.0.7　根据爆炸性气体混合物出现的频繁程度和持续时间，爆炸性气体环境分为0区、1区、2区。

“持续”的意思是可燃性环境存在的总时间。通常包含释放的总持续时间，加上释放停止后可燃性环境扩散的时间。

出现的频率和持续时间的指标可从相关的具体行业或使用代码中获取。

2.0.8～2.0.10　根据爆炸性粉尘混合物出现的频繁程度和持续时间，爆炸性粉尘环境分为20区、21区、22区。

2.0.13　火灾危险环境根据火灾事故发生的可能性和后果，以及危险程度及物质状态的不同，分为20区、21区、22区。

2.0.18　关联电气设备可以是下列两者中的任何一个：

(1)使用在相适应的爆炸性气体环境中并且有现行国家标准《爆炸性环境　第1部分：设备　通用要求》GB 3836.1规定的另一个防爆型式的电气设备。

(2)非防爆电气设备，不能在爆炸性气体环境中使用的电气设备，例如记录仪，它本身不在爆炸性气体环境中，但它与处在爆炸性气体环境中的热电偶连接，这时只有记录仪的输入电路是本质安全的。

2.0.21　现行国家标准《爆炸性气体环境用电气设备　第8部分：“n”型电气设备》GB 3836.8的要求是保证引起点燃的故障不太可能发生。规定的异常条件的示例是具有灯泡故障的灯具。

3 基本规定

3.0.1 按设计文件进行施工是现场施工的基本要求。

3.0.3 爆炸和火灾危险环境采用的电气设备和器材，设计时根据其环境危险程度选用适合环境防爆要求的型号规格。所采用的设备和器材，应符合国家现行技术标准（包括国家标准和地方标准）。有接线板的防爆接线盒出厂时，根据产品标准的规定，也应有铭牌标志，故也应视为设备对待。

3.0.4 设备和器材到达现场后应及时验收，通过验收可及时发现问题、及时解决问题，为施工安装的顺利进行打下基础。

3.0.5 在爆炸和火灾危险环境进行电气装置的施工安装，尤其是扩建和改建工程中，安全技术措施是非常重要的，应事先制订并严格遵守。

3.0.6 国家现行的有关建筑工程的施工及验收规范中的一些规定不完全适合电气设备安装的要求，如建筑工程的允许误差以厘米计，而电气设备安装允许误差以毫米计。这些电气设备的特殊要求应在电气设计图中标出，但建筑工程中的其他质量标准，在电气设计图中不可能全部标出，则应符合国家现行的建筑工程的施工及验收规范的有关规定。

为了尽量减少现场施工时电气设备安装和建筑工程之间的交叉作业，做到文明施工，确保设备安装工作的顺利进行和设备的安全运行，规定了设备安装前及设备安装后投入运行前，建筑工程应具备的一些具体条件和应达到的要求。

3.0.8 本规范主要是针对爆炸和火灾危险环境中的电气设备的施工及验收，用于这类环境的电气设备有防爆电气设备，也还有大量的普通电气设备，而且防爆电气设备除了在外部结构、温升控制等方面有些特殊要求外，在许多地方跟普通电气设备是近似的，故爆炸和火灾危险环境的电气装置的安装，除应按本规范执行外，尚应符合现行国家标准电气装置安装工程系列中的“高压电器”、“电力变压器、油浸电抗器、互感器”、“母线装置”、“旋转电机”、“盘、柜及二次回路结线”、“电缆线路”、“接地装置”、“电气照明”、“配线工程”等施工及验收规范和现行国家标准《电气装置安装工程　电气设备交接试验标准》GB 50150 以及其他各专业标准规程的有关规定。

3.0.9　防爆电气设备的级别、组别与使用环境条件相符，才能保证安全，按新防爆电气设备产品标准的规定，对为保证安全，指明在规定条件下使用的电气设备和低冲击能量的电气设备在防爆合格证编号后加有特殊标志“X”，此外为指定环境条件而设计的产品在产品型号后缀有规定的符号，如户外环境用产品——W，湿热带环境用产品——TH，中等防腐环境用产品——FI 等标志，安装时需要注意。

铭牌应标明国家指定检验单位颁发的防爆合格证号。

3.0.10　按现行国家标准《爆炸性环境用防爆电气设备》GB 3836.1 的规定，防爆电气产品获得防爆合格证后才可生产，防爆合格证号是设备的防爆性能经过国家指定的检验单位检验认可的证明。防爆电气设备的类型、级别、组别和外壳上“Ex”标志是防爆电气设备的重要特征，安装前需要首先查明。

4 防爆电气设备的安装

4.1 一 般 规 定

4.1.2 支架的固定，可采用预埋、膨胀螺栓、尼龙塞、塑料塞以及焊接法，在具体工程施工安装时，可参照《防爆电气设备安装标准图集》的规定，但要求固定应牢固。为防止降低钢结构的强度，采用焊接法固定时，应施行点焊。

4.1.3 电气设备接线盒内部紧固后，若电气间隙和爬电距离过小，容易产生电弧和火花放电引起事故，电气间隙和爬电距离是确保安全、防止事故的有效措施之一，需进行检查。据某化工厂反映的多年电气事故统计数据，事故多半是发生在电气设备接线盒内的。附录A中所列数值，是按1993年的国家标准和国际标准规定的，增加了低电压时的数值，并废止了低等绝缘材料的应用，只限用前三种耐泄痕性能较好的材料。

4.1.4 为了安全，电缆或导线引入设备后，应连接可靠，并密封良好。根据生产和使用的方便，有些产品设有多个进线口，但为了保持防爆性能或防水防尘能力而将多余的进线口密封。

4.1.5 塑料制品种类很多，其中有些塑料不耐溶剂侵蚀，故推荐使用家用洗涤剂清洗。

4.1.6 爆炸危险环境装设事故排风机，及时通风降低爆炸性气体浓度，是防止爆炸的重要保证和主要措施。为在事故情况下便于及时开动排风机，要求在现场的排风机按钮要安装在便于操作的地方，并要醒目和方便操作。

4.1.7 因为灯具的种类、型号和功率的变动和互换可改变其发热状态，所以强调灯具要符合设计要求，不得随意变更。旋转光源灯泡时，应旋紧，不得松动，以防止产生火花和接触不良而引起过热现象。灯罩应按要求装好并将螺栓紧固，以往曾发生在更换灯泡后，不将灯罩重新装好的现象，故在此特别强调，应引起重视。

4.2 隔爆型电气设备的安装

4.2.1 制造厂检验合格的产品，到现场后进行了验收检查，一般情况下就无须进行拆卸检查，而只进行外观检查，本条列出了外观检查的内容和要求。

4.2.3 机械碰擦是爆炸事故的危险源，故安装时应特别引起重视。

4.2.4 制造标准中规定了正常运行时产生火花或电弧的设备要进行联锁或加警告牌，施工和验收时要检验其可靠性，并保留完好的警告牌交付生产和使用者。

4.2.5 为了防止插头插入或拔出时产生火花和电弧而引起爆炸事故，按照新的产品制造标准的要求，还需设有防止骤然拔脱的徐动装置，保证在使用过程中不能松脱。

4.3 增安型和"n"型电气设备的安装

4.3.1 增安型电气设备与"n"型电气设备有相同的外壳防护要求，外壳和透光部分要防止裂纹和损坏，防止进灰、进水，接线盒盖应紧固，设备的紧固螺栓应无松动和锈蚀。

4.4 正压外壳型"p"电气设备的安装

4.4.1 正压外壳型"p"电气设备有防护、减少漏气、防止火花吹出等要求，要密封良好。

4.4.2 进入正压外壳型"p"电气设备内的气体是防爆措施，气体来源不得取自爆炸性环境，为防止有腐蚀金属和降低绝缘性能、有损设备性能的气体进入设备和管道，规定进入通风、充气系统及电气设备内部的空气或气体不得含有有害物质。

4.4.3 为了避免因火花或炽热颗粒排入爆炸危险环境引起爆炸

事故，特作出此规定。

4.4.4 正压外壳型“p”电气设备的通风充气系统的电气联锁装置是确保设备安全运行的技术措施，联锁装置的动作程序应正确。但设备通电前的置换风量因设备结构各异，故应按产品的技术条件或产品说明书的规定来确定，管道部分仍按5倍相连管道的容积计算风量。

4.4.5 电气设备及系统要维持产品技术条件中最低的所需压力值，是为了防止外部可燃气体进入，因产品的结构和所要求的最低压力值不尽相同，所以不作统一的硬性规定，而应以产品的技术文件为准。

4.4.6 运行中的正压外壳型“p”电气设备，如果内部的火花和电弧从缝隙或出风口吹出，就可能会引起爆炸事故，因此设备安装和施工完成后应进行检查。

4.4.7 现行的产品制造国家标准有此项要求，对管道的密封应经过认真检查，以保证整个通风系统的正压。

4.5 油浸型“o”电气设备的安装

4.5.1 油浸型电气设备外壳有密封和防护要求，外壳和油箱、油标有损坏和渗漏时，将使油位降低而失去防爆性能，排油孔便于更换废油，排气孔是使变压器油在火花或电弧作用下分解出的气体排出，防止内部过压而引起爆炸。

4.5.2 油浸型“o”电气设备对油面高度有要求，设备需垂直安装，当设备倾斜时，油标不能正确反映油位高度，有可能造成设备内部缺油情况，故要求安装时其倾斜度不得大于5°。

4.5.3 产品的制造标准已将油面最高允许温度组别改为6组，在环境温度为40℃时，T1～T5组设备油面最高允许温度为100℃，其油面温升定为60℃，T6组设备的油面温升限定为40℃，防止油面温度超过气体自燃点温度或变压器油的闪点。

4.6 本质安全型"i"电气设备的安装

4.6.1 本质安全型"i"电气设备(即原规范中的"安全火花型电气设备")安装前的检查项目及要求,在进行检查时,不但应对本质安全型"i"电气设备进行认真的检查,而且对与之关联的电气设备也应进行检查。

4.6.2 防止因电源变压器的缺陷破坏本质安全型"i"电气设备及其线路的防爆性能。

4.6.3 防止由于电池型号、规格的改变而改变了本质安全型"i"电气设备的能量供应,在事故情况下,产生的电火花和温度超过其额定值时可能引起爆炸事故。

4.6.4 由于电气线路的参数对本质安全型"i"电气设备的安全性能有影响,故提出了电气线路的参数应符合设计的规定,以限制线路的储能。

4.7 粉尘防爆电气设备的安装

4.7.1 本条列出了设备安装前的检查项目,主要是标志、防护等级、温度组别、产品的密封以及防止粉尘沉积等,检查设备是否与使用环境相适应。

4.7.2 本条是粉尘防爆电气设备安装时应注意的事项,尤其是有关通风孔道不得堵塞,以减少粉尘的聚集堆积。

4.7.3 粉尘防爆电气设备外壳及进线装置的完整及密封性能至关重要,粉尘可以吸附于壳壁、绕组及绝缘零件的表面,影响散热和降低绝缘电阻,增大电路故障,所以设备安装时不得损伤其密封性能。

4.7.4 许多可燃粉尘受热后能够引燃,故划分了组别和划定了外壳表面最高温度值。

4.7.5 粉尘防爆电气设备安装后,应按产品技术条件的要求做好保护装置的调整和试操作,发现问题及时处理,以保证设备的安全运行。

5 爆炸危险环境的电气线路

5.1 一 般 规 定

5.1.1 爆炸危险环境的电气线路的敷设方式和敷设路径，现行国家标准《爆炸危险环境电力装置设计规范》GB 50058 中有明确的规定，施工应按设计规定进行。但鉴于工程的具体情况，对那些既可由设计规定，亦可根据施工现场的具体条件决定的问题，可采取设计图纸有规定时按设计施工，若设计无明确规定时，可按本条规定执行的方法。本条的规定是根据现行国家标准《爆炸危险环境电力装置设计规范》GB 50058 有关条文的规定而作出的。

5.1.2 本条是为了防止电气线路因外界损伤而破坏绝缘，击穿打火而引起爆炸事故。

5.1.3 本条是为了避免因线路的绝缘不良产生电火花而引起爆炸事故，为保证人民生命财产安全而列为强制性条文。

5.1.4 现行国家标准《爆炸危险环境电力装置设计规范》GB 50058 对于不同的爆炸危险区所采用的电气设备和器材的选型都作出了具体的规定，施工安装时应按设计规定选用相应类型的连接件。

5.1.5 导线或电缆的连接应可靠。绕接是一种不可靠的连接，往往会由于受外界的影响而松动，连接处的接触不良，接触电阻增大，引起接头发热；铝芯电缆与设备连接应采用铜—铝过渡接头。

5.1.6 本规范表 5.1.6 中所列电缆和绝缘导线的最小截面，是从电缆和导线应满足其机械强度的角度而规定的最小截面。实际施工中，电缆和导线的截面大小，应根据设计规定进行选择。

5.1.7 因气体或蒸气爆炸性混合物易随风向扩散，所以为防止架空线路正常运行或事故情况下产生的电火花、电弧等引起爆炸事故的发生而作此规定。为保证人民生命财产安全,将本条列为强制性条文。

5.2 爆炸危险环境内的电缆线路

5.2.1 在爆炸危险环境内设置电缆中间接头,是事故的隐患。现行国家标准《爆炸危险环境电力装置设计规范》GB 50058 规定:“在1区内电缆线路严禁有中间接头,在2区内不应有中间接头”;但在其条文说明中说明,“若将该接头置于符合相应区域等级的防爆类型的接头盒中时,则是符合要求的”。日本1985年版《最新工厂用电气设备防爆指南》第三篇第3.3.4条第6款规定:“电缆与电缆之间的连接,最好极力避免,但是不得已进行连接时可采用隔爆型或增安型防爆结构的连接箱来连接电缆”。苏联的《电气装置安装规范》1985年版第7.3.111条规定:“在任何级别的爆炸危险区内,禁止装设电缆盒和分线盒,无冒火花危险的电路例外”。根据以上所述,要求施工人员必须做到周密的安排,按电缆的长度,把电缆的中间接头安排在爆炸危险区域之外,并将敷设好的电缆切实加以保护,杜绝产生中间接头的可能性。为保证人民生命财产安全,将本条列为强制性条文。

5.2.2 电缆线路穿过不同危险区域或界面时,为了防止爆炸性混合物沿管路及其与建筑物的空隙流动和火花的传播而引起爆炸事故,应采取隔离密封措施。

5.2.3 本条根据现行国家标准《爆炸性环境用防爆电气设备通用要求》GB 3836.1 进行修订,是为了防止电气设备及接线盒内部产生爆炸时,由引入口的空隙而引起外部爆炸。

5.2.4 根据引入装置的现状及工矿企业运行经验,使用具有一定机械强度的挠性连接管及其附件即可满足要求。只要进线电缆、挠性软管和防爆电动机接线盒之间的配合符合防爆要求即可。所采用的挠性连接管类型应适合所使用的环境特征,如防腐蚀、防潮湿和环境温度对挠性管的特殊要求。

5.2.5 本条是为了使电缆与金属密封环之间的密封可靠，不致因电缆表面有脏物而影响密封效果。

5.2.6 本条是为了防止管内积水结冰或将水压入引入装置而损坏电缆和引入装置的绝缘。

5.3 爆炸危险环境内的钢管配线

5.3.1 以往采用黑铁管进行刷漆处理的施工方法，由于在施工现场受条件限制，处理很难达到完善，致使管壁锈蚀而影响管壁强度。为了提高钢管防腐能力和使用寿命，明确规定爆炸危险环境的钢管配线，应采用镀锌焊接钢管。

5.3.2 为了确保钢管与钢管、钢管与电气设备、钢管与钢管附件之间的连接牢固，密封性能及电气性能可靠，特提出施工中应注意的事项，钢管采用螺纹连接，按本条各项规定认真执行。

5.3.3 电气管路采用倒扣连接时，其外露的丝扣必然过长，不但破坏了管壁的防腐性能，而且降低了管壁的强度。

5.3.4 根据现行行业标准《爆炸危险环境的配线和电气设备的安装通用图》HG 21508 附录二中隔离密封技术要求的规定编号。隔离密封的目的是使爆炸性混合物或火焰隔离切断，以防止通过管路扩散到其他部分，提高管路的防爆效果。

5.3.5 本条是根据现行行业标准《爆炸危险环境的配线和电气设备的安装通用图》HG 21508 附录二中隔离密封操作方法要求修订的。因隔离密封装置不能在施工现场做不传爆性能试验，只有按照制造厂产品技术规定的要求进行施工，以达到隔离密封的效果。

5.3.6 为了避免在钢管直接连接时可能承受过大的额外应力和连接困难，规定在这些地方应采用挠性管连接。爆炸危险环境内的钢管配线需采用挠性连接管的地方，为满足防爆要求，应采用防爆型挠性连接管。

5.3.7 挠性连接管的类型应与危险环境区域相适应，材质应与使用的环境条件(防蚀、防湿、防高温)相适应,以达到其防爆要求。

5.3.8 本条是为防止电气设备或接线盒内在事故情况下产生的电气火花或高温,在其内部发生爆炸时,由多余的线孔引起钢管内部爆炸。

5.4 本质安全型“i”电气设备及其关联电气设备的线路

5.4.1 本质安全型“i”电气设备的线路中的本质安全电路、关联电路,设计人员在设计时对防止与其他电路发生混触,防止静电感应和电磁感应等,都作了认真、细致的考虑,所以配线工程中的钢管和电缆或导线的型号、规格、线路的走向及标高等,都要按设计要求施工;当本质安全型“i”电气设备对其外部连接线的长度有规定时,尚应符合产品的规定。主要是为防止由于配线工程施工不当而破坏了本质安全型“i”电气设备及其电气线路的防爆性能。

5.4.2 本条第1款~第3款主要是为了避免本质安全电路之间、本质安全电路与其关联电路之间、本质安全电路与其他电路之间发生混触而破坏本质安全电气设备和本质安全电路的防爆性能。本条第1款直接涉及本质安全电气设备和本质安全电路的安全运行,因此列为强制性条文。

4 为防止爆炸性混合物的流动或火花传递而引起爆炸事故,需按规定进行隔离密封。

5 为引起施工人员和生产维护人员注意,防止任意改变线路或将线路接错,需用颜色标明,以区别于其他电路。

6 根据本质安全电路的特殊要求,为了避免因屏蔽层中出现电流而影响本质安全电路的安全,屏蔽层只允许一点接地,应特别注意。

7 原规范规定“本质安全电路的保护管不应用镀锌钢管”,这种规定是依据当时的本质安全型“i”电气设备的电路点燃参数曲线中,有不适用于含镉、锌、镁、铝的点燃参数曲线。现在的本质安全型“i”电气设备产品及修订后的产品国家标准都已取消了上述不适用于含镉、锌、镁、铝的点燃参数曲线，故原规范的这一规定已无必要，而从管的防腐要求考虑，应采用镀锌钢管。

5.4.3 用本质安全电路配线连接危险环境的电气设备（多数为本质安全型）和非危险环境的电气设备（本质安全型“i”或关联电气设备）时，在非危险环境中就存在着本质安全电路及其关联电路，而这两种电路都是低电压、小电流，如不按危险环境的规定进行施工，同样能破坏本质安全型“i”电气设备及本质安全电路的防爆性能。

6　火灾危险环境的电气装置

6.2　电气设备的安装

6.2.1　施工时应检查所使用的电气设备是否符合设计规定。

6.2.2　电气开关、正常运行时有火花或外壳表面温度较高的电气设备,应远离可燃物质,主要是考虑到电气设备的表面高温、电弧及线路接触不良或断线引起的火花,将引燃周围的可燃物质,造成火灾事故。有的单位反映曾因电气设备事故造成木制箱子着火引起火灾,故规定装有电气设备的箱、盒等应采用金属制品。

6.2.3　电热器在使用时产生高温,容易引燃可燃物质,为避免造成火灾事故而作此规定。

6.2.4　移动式和携带式照明灯具,如果没有金属网保护,容易碰破玻璃罩而引起火灾事故。

6.2.5　本条主要考虑防止从上面落下物体时,引起短路或接地等事故。

6.3　电 气 线 路

6.3.1～6.3.6　施工安装时应认真遵照现行国家标准《爆炸危险环境电力装置设计规范》GB 50058 第 4.3.8 条的有关规定执行。

6.3.7、6.3.8　主要是为了防止可燃物质或灰尘等其他有害物质侵入电气设备和接线盒内。

6.3.9　防止架空线路在事故情况下由于电火花或电弧的产生而引起火灾事故。

7 接　　地

7.1 保 护 接 地

7.1.1 根据现行国家标准《爆炸危险环境电力装置设计规范》GB 50058 的有关规定进行修订，按不同危险区域及不同的电气设备，对其接地线的设置，加以区别对待。特别注意，在爆炸危险环境内的所有电气设备的金属外壳，无论是否安装在已接地的金属结构上都应接地。为保证人民生命财产安全，将 7.1.1 条列为强制性条文。

7.1.2～7.1.4 根据现行国家标准《爆炸危险环境电力装置设计规范》GB 50058 的有关规定进行修订，按不同危险区域及其不同的电气设备，对其接地线或接零线的设置，加以区别对待。特别注意，在爆炸危险环境内的所有电气设备的金属外壳，无论是否安装在已接地的金属结构上都应接地。

7.1.5～7.1.8 保证爆炸危险环境内电气设备接地的安全可靠。

7.1.9 防止因紧固不良产生火花或高温而引起爆炸事故。

7.2 防静电接地

7.2.1 在爆炸危险环境内，条文中所述的设备及管道易产生和集聚静电，当设计中有防静电接地要求时，应按设计规定进行可靠接地，以防止产生静电火花而引起爆炸事故。

7.2.2 本条是为了防止高电位引入爆炸危险环境产生电气火花引起爆炸事故而制订的。为保证人民生命财产安全，将本条列为强制性条文。

8 工程交接验收

8.0.1 在防爆电气设备试运中，除按相应的“施工及验收规范”中的检查项目进行检查外，要特别注意所列的几项检查和应保证的条件，以确保设备的安全运行，避免引发爆炸事故。

8.0.2 工程竣工验收时，除按相应的“施工及验收规范”中的检查项目进行检查外，还应按本条的有关各项进行检查，这些都是针对防爆电气设备的特殊性而提出的检查内容和要求，是防止爆炸事故发生的必要措施。

1 防爆电器设备的铭牌中应标明国家指定的检验单位颁发的防爆合格证号。

8.0.3 进行交接验收时，应同时移交所有的技术文件，这是设备的原始档案资料和运行及检修时的依据，移交的资料应正确齐全。爆炸和火灾危险环境用的电气设备，除了在外部结构上和个别特殊地方需满足防爆要求而与普通电气设备有较大差异外，其电气性能与普通电气设备基本一致，故在进行设备交接试验时，除按本规范中规定的几项特殊调整试验项目执行外，仍应按现行国家标准《电气装置安装工程　电气设备交接试验标准》GB 50150 进行调整试验，并应提交调整试验记录。